22 1.

2 9 18

20 4 12

5 16 24

Weihnachten

Endlich!

Alice Pantermüller
Daniela Kohl

Mein Lotta-Leben
Süßer die Esel nie singen

Hohoho! ☆

Mit diesem Adventskalender-Buch erlebst du die spannendste Vorweihnachtszeit aller Zeiten! Wie du das machst? Ganz einfach: An jedem Tag vom 1. bis 24. Dezember öffnest du ein Kapitel. Dazu trennst du die zusammengefassten Seiten am besten mit einem Lineal, einem Brieföffner oder einem Blockflöten-Putzer ⟩⟩⟩⟩⟩◦ auf. **Achtung:** An manchen Tagen darfst du sogar mehrere Seiten öffnen (immer wenn du dieses Zeichen ✂ siehst).

☛ **Aber wirklich nur ein Kapitel pro Tag lesen, ja?** Der Rest ist nämlich noch streng geheim! Jedenfalls bis Weihnachten!

Ganz viel Spaß, wünscht dir deine LOTTA

www.mein-lotta-leben.de

Alice Pantermüller

wollte bereits während der Grundschulzeit „Buchschreiberin" oder Lehrerin werden. Nach einem Lehramtsstudium, einem Aufenthalt als Deutsche Fremdsprachenassistentin in Schottland und einer Ausbildung zur Buchhändlerin lebt sie heute mit ihrer Familie in der Lüneburger Heide. Bekannt wurde sie durch ihre Kinderbücher rund um „Bendix Brodersen" und die Erfolgsreihe „Mein Lotta-Leben".

Daniela Kohl

verdiente sich schon als Kind ihr Pausenbrot mit kleinen Kritzeleien, die sie an ihre Klassenkameraden oder an Tanten und Opas verkaufte. Sie studierte an der FH München Kommunikationsdesign und arbeitet seit 2001 fröhlich als freie Illustratorin und Grafikerin. Mit Mann, Hund und Schildkröte lebt sie über den Dächern von München.

Alice Pantermüller

MEIN LOTTA-LEBEN

Süßer die Esel nie singen

Illustriert von Daniela Kohl

Arena

Ein Verlag der **westermann** *GRUPPE*

7. Auflage 2021
© 2016 Arena Verlag GmbH,
Rottendorfer Straße 16, 97074 Würzburg
Alle Rechte vorbehalten
Einband und Illustrationen: Daniela Kohl
Gesamtherstellung: Westermann Druck Zwickau GmbH
ISBN 978-3-401-60182-3

www.arena-verlag.de
Mitreden unter forum.arena-verlag.de

1. DEZEMBER

Hach, endlich ist die **Weihnachtszeit** da!

Sogar in der Schule ist es jetzt schön.
Und zwar weil:

Wir unser Klassenzimmer mit **Tannenzweigen** geschmückt haben. Und die duften total **weihnachtlich**.

← Weihnachtsduft

Auf Frau Kackerts Tisch eine **Kerze** brennt

und wir morgens immer ein **Weihnachtslied** singen.

(Auch wenn ich nur so tue, als ob ich mitsinge. Weil ich ja nicht so musikalisch bin.)

Heute haben wir () du fröhliche gesungen. Und danach hat Frau Kackert uns was von Barmherzigkeit und Nächstenliebe erzählt. Und darüber, dass die Weihnachtszeit die beste Zeit ist, um gute Taten zu vollbringen — alten Leuten zu helfen und so.

Und deshalb werde ich Konto führen! Für jede gute Tat, die ihr vollbringt, gibt es ein Klebesternchen! ☆ Und wer am letzten Schultag die meisten Sternchen hat, bekommt natürlich eine Belohnung

hat Frau Kackert gesagt und ein großes Plakat entrollt, auf dem alle unsere (Namen) standen.

Au ja! Meine beste Freundin Cheyenne hat gequietscht vor Begeisterung und mir ist plötzlich auch ganz barmherzig zumute geworden.

Wir müssen gleich heute Nachmittag los und alten Leuten helfen!

Genau. Beim Rasenmähen oder so.

zurückwisper

wisper

6

Aber da hat Frau Kackert uns **streng** angeguckt und ich hab lieber aufgehört zu wispern.

Cheyenne aber nicht.

> Was hattest du eigentlich in
> deinem Adventskalender? Also, ich
> hatte voll den leckeren Schoko...

> Cheyenne! Noch ein Wort und du bekommst
> schon gleich dein erstes Minus-Sternchen!

Mit einem Mal hat
Frau Kackert
**ganz dicht
vor uns**
gestanden.

Da hat Cheyenne auch nichts mehr gesagt.
Wir haben uns nur noch ⟩ ○ zugeblinzelt. Und zwar
weil wir uns schon auf unsere barmherzigen Taten
gefreut haben. Und auf die Sternchen natürlich.☆

Hast du eine Idee, wem du in der **Adventszeit** etwas **Gutes** tun könntest?

2. DEZEMBER

Leider hat es gestern nicht mehr geklappt mit einer guten Tat.

Allerdings haben wir heute in der Schule auch nicht über gute Taten gesprochen, sondern über unsere

Weihnachtsfeier.

Dabei soll die erst am letzten Schultag vor Weihnachten stattfinden.

Aber Frau Kackert wollte, dass wir wichteln, und so was muss man ja rechtzeitig planen.

Jeder von euch schreibt seinen Namen auf einen Zettel. Den steckt ihr in diesen Sack hier und anschließend zieht ihr den Namen eines Mitschülers, für den ihr ein kleines Geschenk besorgt

hat sie erklärt.

Und dann noch, dass **das kleine Geschenk nicht teurer sein soll als drei Euro.**

Au ja! (Natürlich haben wir alle gejubelt.

Cool! hat Cheyenne gerufen und ihren Namen aufgeschrieben.

Aber dann haben wir nicht mehr gejubelt, Cheyenne und ich.

Weil ich nämlich | Berenike von Bödecker | gezogen hab.

Und Cheyenne | Finn |.

Naaain!

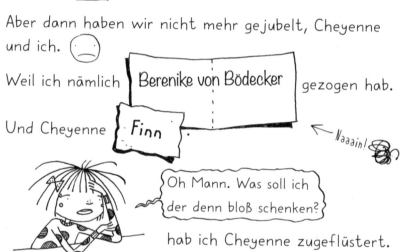

Oh Mann. Was soll ich der denn bloß schenken?

hab ich Cheyenne zugeflüstert.

Berenike von Bödeckers Eltern sind nämlich total reich und deswegen hat sie bestimmt schon alles, was man so kaufen kann.

Eine Geige und ein Pferd und eine hochnäsige Nase sowieso.

Boah, Finn ist aber noch viel schlimmer! Weil der ein **Rocker** ist und ein Junge noch dazu!

hat Cheyenne zurückgeflüstert.

Und da war mir klar, dass ich Cheyenne helfen muss!
Deshalb haben wir zusammen überlegt, was man so
einem Rocker am besten schenken kann. Ein paar
Rockergeschenke sind uns zum Glück eingefallen:

Stirnband mit Totenköpfen drauf

Trinkbecher mit Beleuchtung

blink

METTEL

Silvesterböller (die ganz lauten)

BOOM

Eine Packung **Klebeschnurrbärte**

Total **scharfe Bonbons** mit Salmiakfüllung

X-TREM X-TREM X-TREM X-TREM

knatter

Eine **Duftkerze**, die nach Diesel riecht

Das waren ja ganz schön tolle Sachen, fand ich!
Jetzt brauch ich nur noch was für Berenike ...

Meine Ideen für **Wichtelgeschenke**

3. DEZEMBER

Heute war es schon ganz schön weihnachtlich zu Hause. Mama hat nämlich gebacken

und ich hab mit meinen Brüdern die Weihnachtsgeschichte gespielt. Die mit Maria, Josef und Jesus. Weil das einfach zur Adventszeit dazugehört.

Und vielleicht ist es sogar ein bisschen barmherzig, sich um seine Brüder zu kümmern, und man kriegt ein Sternchen dafür. Am besten, ich frag mal Frau Kackert danach.

Zum Spielen haben wir unsere Kuscheltiere geholt. Simons Affe Barni sollte Jesus sein und Geschenke von den Heiligen Drei Königen kriegen. Er lag in einem Schuhkarton, das war die Krippe.

Füschi (der Wal), Helga (das Kampfschaf) → und Lumpi (der Hund) waren die Heiligen Drei Könige und sollten ihm Spekulatius bringen.

rompf
))
rompf
rompf

Aber Jakob hat immer nur so getan, als würde Füschi die ganzen Spekulatius alleine aufessen.

Dabei war Füschi doch ein Heiliger Drei König! Und der soll Jesus ja wohl was schenken und ihn nicht noch beklauen!

Aber Jakob hat bloß gesagt, dass Zwergblauwale bei Spekulatius einfach nicht widerstehen können.

Oh Mann! Ich bin voll **stinkig** geworden und hab gesagt, dass Maria und Josef Füschi über einem Feuer braten, damit sie ein leckeres Weihnachtsessen haben.

brutzel

„So 'n Quatsch", hat Jakob da gerufen.

In Wirklichkeit braten die Helga! Weil nämlich sowieso viel mehr Schafe dabei waren, als Jesus geboren wurde. Und fast gar keine Wale.

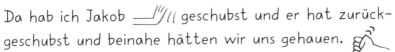

Da hab ich Jakob geschubst und er hat zurück-geschubst und beinahe hätten wir uns gehauen.

Fertig!

Aber gerade in dem Moment hat Mama gerufen, dass wir jetzt die Plätzchen verzieren können.

Und dann haben wir die erst mal mit Lebensmittel-farbe angemalt und bunte Streusel draufgeklebt. Das macht fast noch mehr Spaß als ausstechen. Und ist auch viel weihnachtlicher als schubsen und hauen!

Das sind meine vorweihnachtlichen **Lieblingsspiele**

*Heilige Drei Könige besuchen Barni (als Jesus)

1 x aussetzen

3 Felder vor

Rücke eins vor

Zurück auf Start

Sag ein Gedicht auf!

1 x aussetzen

16

4. DEZEMBER

Zum Frühstück gab es heute $tollen und auf dem
Adventskranz hat schon die zweite Kerze gebrannt.
Das war voll gemütlich! Dabei haben wir natürlich
auch Weihnachtslieder gehört. Allerdings waren das
ganz alte Lieder mit „Jauchzet, frohlocket" und so.
Irgendwie findet Papa die wohl gut.

Dann hat Mama erzählt, dass Oma Ingrid
über Weihnachten zu Besuch kommt!

> Ich möchte, dass ihr drei euch etwas Schönes für
> sie ausdenkt. Zum Beispiel könnt ihr zusammen
> für ein kleines Weihnachtskonzert üben

hat sie so strahlig gesagt und dabei ihre
Scheibe Stollen mit Butter bestrichen.

Da haben meine Brüder und ich
uns ganz **entsetzt** angeguckt.

17

Weil wir nämlich alle drei total unmusikalisch sind.
Und ein kleines Konzert von uns wäre kein schönes
Geschenk für Oma, sondern eine **Qual!**

Ich hab eine viel bessere Idee hab ich nach
dem Frühstück zu Jakob und Simon gesagt.

Bei mir im Zimmer liegt noch so eine alte Lichterkette
rum. Wir müssen nur die Lämpchen mit Sternen bekleben,
die wir aus Papier ausschneiden — schon haben wir ein
total schönes Geschenk für Oma! Und Musik müssen wir
dann auch keine machen.

„Cool!", hat Jakob gerufen und Simon ist sofort losgelaufen, um Schere und Klebe KLEB&STOFF zu holen.

Da hab ich mich schon ein bisschen gewundert.
Weil die Jungs ja sonst nie das tun, was ich
ihnen sag. Zusammen hatten wir auch noch viel mehr
Ideen, womit man die Lämpchen bekleben kann.
Nicht nur mit Papiersternen, sondern auch mit:

- Papierherzen, -pudelmützen und -gespenstern
- echten kleinen Tannenzweigen
- Stoffblumen (von Mamas Stoffweihnachtsstern)
- Haargummis von Mama mit so Filztentakeln dran
- Strohsternen
- einem Plastik-Gebiss vom Jahrmarkt
- einem winzigen Babysöckchen
  (das ganz hinten in Simons Sockenschublade lag)

Wir haben voll viel Klebe gebraucht, um die ganzen
Sachen auf den Lämpchen zu befestigen. Die wollten
nämlich gar nicht richtig halten. Immer wieder ist
was abgegangen und dann mussten wir noch mehr
KLEBE draufmachen.

Als wir fertig waren, war die Lichterkette ziemlich
GLITSCHIG. Und dann kam der große Moment!

Passt auf! hab ich gesagt und den
Stecker in die Steckdose gesteckt.

Und dann haben wir geschrien vor Schreck!

Weil es total laut geknallt hat **PANG!**

und weil das Licht  ausgegangen ist.
Im ganzen Haus.

Und im Rest der Straße übrigens auch.
Das haben wir gesehen, als wir aus
dem Fenster geguckt haben. Hups.

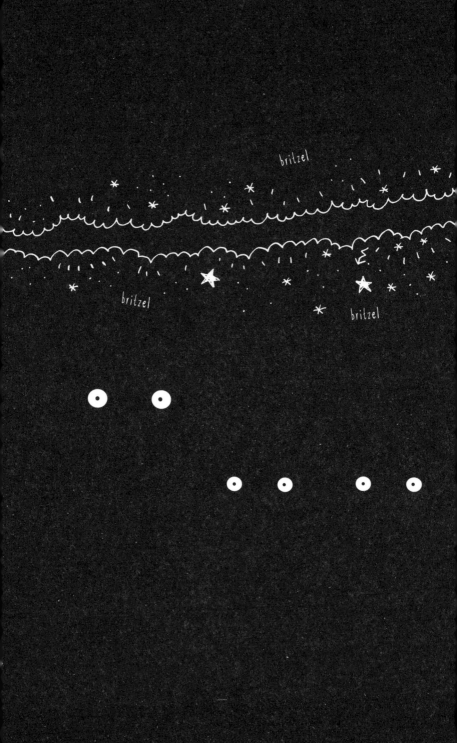

5. DEZEMBER

Berenike hat schon vier **Sternchen** für gute Taten ...

    Berenike: ☆ ☆ ☆ ☆

    Lotta:

    Cheyenne:

Oh Mann! Es wird Zeit, dass Cheyenne und ich auch was **Nächstenliebes** tun und Frau Kackert ein paar **Sternchen** hinter unsere Namen klebt! 😠

Obwohl ich es auch ganz schön wohltätig finde, wenn man mit seinen Brüdern zusammen was für seine Oma bastelt. Aber dafür gibt es <u>keine</u> Sternchen.

Hat Frau Kackert gesagt, als ich sie gefragt hab.

Deshalb haben wir uns nachmittags getroffen, Cheyenne und ich. Wir sind durch die Gegend gelaufen und haben nach armen, alten Menschen gesucht. 🔊

Das war aber gar nicht so einfach.

> Mann, ey. Wo sind die denn alle? Ich
> will doch ganz viele Sternchen kriegen!

hat Cheyenne gemurrt.

Genau in dem Augenblick hab ich eine alte Frau gesehen, die an der Straße stand. Und die hatte voll
die schwere Tasche dabei. Wahrscheinlich hat sie sich
nicht über die Straße getraut, weil da
so viele Autos waren. Sie hat nämlich
nur gestanden und geguckt.

> Los, hin! hab ich Cheyenne zu-
gerufen und wir sind losgerannt.

„Wir helfen Ihnen", hab ich der Frau dann erklärt und
ihre Tasche genommen. Und Cheyenne hat sie am Arm
gepackt und über die Straße gezogen. Die arme, alte
Frau hat voll GEJAMMERT.

Ich glaub, so viel
Barmherzigkeit und
Nächstenliebe
war die einfach
nicht gewohnt.

Als wir drüben angekommen sind, hab ich ihr die Tasche wiedergegeben. Die war aber auch echt schwer!
Eigentlich war das mehr so ein Koffer.

Bitte schön hab ich gesagt
und mich total gut gefühlt.

Leider hat die Frau voll **losgemeckert** und **geschimpft**.
Dabei hat sie über die Straße gezeigt.

MEIN TAXI!
Dahinten kommt es!
Was fällt euch ein, ihr
ungezogenen Mädchen!

Oh. Cheyenne und ich haben uns angeguckt und
dann wollten wir die Frau wieder zurückbringen.
Leider fuhren gerade viel zu viele Autos hin und her.

Und dann fuhr auch das Taxi.
Und zwar weg.
Da hat die Frau noch **viel lauter geschimpft** und

Cheyenne und ich haben uns lieber schnell verdrückt.

Meine barmherzigen Taten in der Adventszeit

....

....

....

....

....

....

....

....

....

....

....

....

....

....

6. DEZEMBER

Juchhu! ➔ Nikolaustag!

Ich war ja so was von gespannt auf meinen **Nikolausstiefel**, der unten in der Diele auf der Fensterbank stand!

Zum Glück durften die Jungs und ich unsere **Päckchen** schon vor dem Frühstück auspacken.

Und in meinem ...

... war ein singender Fisch drin! Einer, den man an die Wand hängen kann und immer, wenn jemand vorbeigeht, singt er

dschinglpelz
dschinglpelz
klatsch klatsch

Jingle Bells und wackelt dabei mit seiner Schwanzflosse. Das fand ich ja mal richtig goldig!

In der Schule hatte Cheyenne den schicken Schal um den Hals, den sie heute früh in ihrem Stiefel gefunden hat. Und sie hat mir erzählt, dass ihre Schwester Chanell **ganz in echt** geglaubt hat, der Nikolaus wäre letzte Nacht da gewesen.

> Krass, oder? Und an den Weih-
> nachtsmann glaubt die auch noch!
> Dabei ist die schon acht, ey!

Da haben wir beschlossen, dass wir Chanell beweisen müssen, dass es den Weihnachtsmann gar nicht gibt!

> Bestimmt ist das auch eine barm-
> herzige Tat, für die es ein Stern-
> chen gibt. Sonst wird sie am Ende
> noch ausgelacht in ihrer Klasse!
> Das müssen wir verhindern!

hab ich gesagt und genickt.

> Aber so was von

hat Cheyenne geknurrt.

Gleich nachmittags hatten wir eine gute Gelegenheit,
Chanell zu helfen. Cheyenne und Chanell mussten
nämlich auf ihren kleinen Halbbruder Rocco aufpassen.
Und natürlich hab ich den beiden geholfen.

Mirandas allerbester Freund ist Fini, der Delfin!
Delfini-fini! Fini-FIIIIIN!

Wir sind alle zusammen in
die Stadt gegangen und
Chanell hat die ganze Zeit
nervige Lieder gesungen.

Aber dann war sie plötzlich ganz still. Und zwar weil
vor uns einer dieser **unechten Weihnachtsmänner**
stand. Vor dem Nixenbrunnen. Er hatte einen Sack
dabei und hat Süßigkeiten an Kinder verteilt.

Ha! Da ist ja schon so
ein verkleideter Student!

hat Cheyenne mir zugewispert.

Der kleine Rocco hat „Gu!" gerufen und voll aufgeregt
auf den Weihnachtsmann gezeigt.
Mit beiden Händen.
Wahrscheinlich, weil er auch Schokolade wollte.

GUUU!

Das war total niedlich!

Aber Cheyenne hat nur zu mir rübergeblinzelt.
„Los, wir holen uns auch was", hat sie dann gesagt
und wir sind zu den wartenden Kindern rübergegangen.

Konditorei Ketelhuhn

Nur Rocco hat gequengelt und mit den Beinen ge-
strampelt. Weil er ja noch nicht weiß, dass man sich
bei einer Schlange hinten anstellen muss.

Chanell wusste das schon. Sie hat sich hinter
Cheyenne versteckt und kein Wort gesagt.
Bloß ab und zu hat sie mit riesigen Augen
den Weihnachtsmann angestarrt.

Cheyenne war als Erste von uns dran.

Warst du denn auch immer brav?

Klar hat Cheyenne gesagt
und genickt und total brav
ausgesehen.

Aber dann hat sie so getan, als ob sie ausrutscht.
„Hups!", hat sie gerufen — und sich am Bart vom
Weihnachtsmann festgehalten!

Weil sie natürlich gedacht hat, dass der abgeht bei so einem verkleideten Studenten.

Leider war der aber echt und da hat der **Weihnachtsmann geschrien** und **geschimpft**

und wir haben uns schnell Roccos Buggy geschnappt und sind weggelaufen.

Chanell hat übrigens auch **geschrien** und geschimpft. Und zwar weil Cheyenne dem **Weihnachtsmann** weh-getan hat! Den ganzen Rückweg hat sie rumgezetert.

Jetzt kriegst du keine Geschenke zu Weihnachten und ich vielleicht auch nicht und das ist alles deine Schuld, weil du soooo gemein zum Weihnachtsmann warst! Du blöde Blöd-Cheyenne!

Sie hat so laut **geschrien**, dass Rocco sie ganz er-schrocken angeguckt hat. Ich glaub, der hat ganz vergessen, dass er eigentlich Schokolade wollte. Und dass er ja normalerweise am meisten von uns allen rumschreit!

31

Mein coolstes Nikolausgedicht

Frühmorgens

.... der Nikolaus.

Er

Daher .... (oder so).

....

....

....

....

....

....

....

....

....

7. DEZEMBER

Rémi und ich sind gestern beim Roten Kreuz gewesen. Wir haben dabei geholfen, Wolldecken und heiße Getränke an Obdachlose auszuteilen.

DECKEN

DECKEN

hat Paul heute in Deutsch erzählt.

Rémi hat genickt und 'eiße Wolldecken' gesagt. Und zwar weil er **FRANZOSE** is und noch nicht so gut Deutsch kann.

Frau Kackert hat die beiden gelobt und natürlich hat jeder von ihnen ein $Sternchen$ bekommen und Cheyenne hat ein bisschen zerknautscht geguckt. Wahrscheinlich weil sie an den Weihnachtsmann gedacht hat. Oder an die alte Frau.

„Ich hab voll die barmherzige Idee, ey", hat sie mir dann jedoch in der Pause erzählt.

> Wir machen so ein Weihnachtskonzert im Altersheim! Du spielst Flöte ▭▭▭ und ich singe — so was mögen alte Leute total gern!

Also, da war ich mir nicht so sicher. Schließlich bin ich die **SCHLECHTESTE BLOCKFLÖTESPIELERIN DER WELT!**

Aber Cheyenne war richtig begeistert.

> Im Altersheim, wo meine Uroma lebt, ist übermorgen Weihnachtsfeier! Ich sag denen Bescheid, dass wir Musik machen!

Da hab ich lieber erst mal das Thema gewechselt. Vielleicht vergisst Cheyenne dann die ganze Sache wieder. ♫ ♪ ♪ ♪ ♪

Auch nachmittags haben wir nicht mehr über das Konzert gesprochen. Stattdessen haben wir uns bei mir getroffen. Wir wollten nämlich Ideen sammeln, wie man Chanell beweisen kann, dass es den Weihnachtsmann gar nicht gibt. Das war aber echt schwer.

Wir müssen so einen Kauf-haus-Weihnachtsmann in eine Falle locken. Das ist die einzige Lösung!

Grube, mit Tannenzweigen getarnt

plums

Au ja! Und dann sagen wir, dass wir ihn erst wieder rauslassen, wenn er uns seine fliegenden Rentiere zeigt!

Die Idee fanden wir beide gut. Bloß: Wie lockt man einen Weihnachtsmann in die Falle?

Wie fange ich einen Weihnachtsmann?

GRRR

Such dir ein paar Sachen aus und schreibe oder zeichne damit deine Fang-den-Weihnachtsmann-Geschichte.

Gedicht

KLEBSTOFF

sirr

Sabine Petermanns Masala-Chai-Tee mit frischem Ingwer

KAKAO

müffel

brömmbrömm

STAUBSAUGER-ROBOTER

↑ beheizbare Socken

8. DEZEMBER

Also, Mama hat ja heute was total Weihnachtliches und Barmherziges gemacht! Frau Kackert hätte ihr bestimmt zwei oder drei Sternchen dafür gegeben.

Sie hat nämlich einen Weihnachten-im-Schuhkarton-Schuhkarton gepackt.

Da kommen lauter kleine Weihnachtsgeschenke rein und dann wird der Karton schön eingepackt, so in weihnachtliches Papier, und in ein anderes Land geschickt. Und zu Weihnachten kriegt dann ein furchtbar armes Kind das Paket.

Geschenke

Allerdings hat Mama mal wieder so **komische** Sachen eingepackt: Zahnpasta und Socken und Schulhefte und so ...

darüber freut sich doch kein einziges Kind, oder?

Deshalb bin ich zu Cheyenne gelaufen, um mit ihr zusammen einen richtig schönen Schuhkarton zu packen. Weil das bestimmt so nächstenlieb ist, dass man dafür ganz viele Sternchen kriegt.
Cheyenne fand die Idee auch total gut.

Dafür gibt's bestimmt mindestens drei Sternchen bei Frau Kackert

Dann hat sie einen Karton aus ihrem Regal gezogen und den Inhalt auf den Boden gekippt.

Da waren lauter Barbiepuppen drin und alte Käsebrote und so.

Danach sind wir durch die Wohnung gelaufen und haben ganz viele **schöne** Sachen zusammengesammelt:

- einen Taschenlampen-Dinosaurier mit Batterien

  Der hat so leuchtende Augen

- eine Tüte Chips mit Pizzageschmack

- einen total süßen Engel aus Glas

- einen japanischen Manga-Comic

- eine Flasche Klebe mit Glitzer

- ein paar Schokoküsse
  (die ganze Packung passte nicht in den Karton)

Also, das war ja wohl viel besser als Seife und Bleistifte und Unterhosen, oder? Auf jeden Fall waren wir ganz schön stolz auf unseren Karton, Cheyenne und ich!

Wie viel **Weihnachten** passt in deinen Schuhkarton?

Hier kannst du eintragen oder reinzeichnen, was du einpacken würdest.

9. DEZEMBER

Oh Mann, ich hatte ja echt gehofft, dass Cheyenne das **Weihnachtskonzert** im Altersheim 〰 vergisst! Aber heute Morgen hat sie in der Schule davon erzählt und natürlich auch von unserem **Schuhkarton**.

Allerdings hat Frau Kackert uns jedem nur **ein** Stern-chen für den Karton gegeben. (☹) Und für das Konzert noch gar keinen, weil das ja erst heute Nachmittag ist. (😐)

Berenike hat so ~~blöd~~ gekichert.

ahühühühü

> Du liebe Güte, ein Flötenkonzert mit Lotta! Dafür müsste es mindestens fünf Sternchen Abzug geben!

Die blöde Kuh! Für so einen bescheuerten Spruch dürfte die bis Weihnachten keinen einzigen Stern mehr kriegen! Sie hat sowieso schon viel zu viele, nämlich **SIEBEN**.

Berenike: ☆☆☆☆☆☆☆ ↙

Lotta: ☆

Cheyenne: ☆

grmpf

Ich hab mir sofort vorgenommen, für die alten Leute so schön wie möglich zu spielen. Damit ich bald noch mehr Sternchen hab als Berenike.

Lotta:

Am Nachmittag hab ich mich voll schick angezogen und dann bin ich mit Cheyenne zum Altersheim gelaufen. Wir waren beide total **aufgeregt**.

Erst haben wir ein paar Lebkuchen  und Pfeffernüsse bekommen und dann mussten wir noch ein bisschen warten.

Also, mir haben echt die Knie gezittert, als wir endlich auf der Bühne gestanden haben, in dem großen Raum, vor all den Leuten!

Deshalb hat es sich leider auch nicht so schön angehört, was ich gespielt hab. Cheyenne hat wirklich voll gut Last Christmas gesungen, aber meine Flöte hat immer nur so dazwischengeblökt wie ein Esel.

Schon nach ungefähr einer halben Minute sind ein paar von den alten Leuten aufgestanden und rausgegangen. Und ein paar von denen, die im Rollstuhl saßen, haben sich die Ohren zugehalten.

Die mussten nämlich erst warten, bis ein Pfleger kam und sie rausgeschoben hat. **Die Russen kommen!** hat einer ganz hinten so lange geschrien, bis auch er rausgebracht wurde.

Dafür standen mit einem Mal zwei |Esel| im Raum und haben ziemlich **verwirrt** geguckt. Aber ein paar Pfleger haben die ganz schnell wieder rausgescheucht. Und ich hab lieber aufgehört zu spielen. Weil daran bestimmt mal wieder meine Flöte schuld war.
Wie immer, wenn was Komisches passiert.

Das war ja jetzt nicht so richtig toll, das Konzert. Vor allem für die alten Leute. Aber wenigstens kriegen Cheyenne und ich beide noch ein Sternchen!

10. DEZEMBER

HURRA! Heute Nachmittag ist unsere ganze Familie auf den  **Weihnachtsmarkt** gegangen!

Ich war total **kribbelig.** Überall waren gemütliche Lichter an und es hat nach Glühwein und gebrannten Mandeln geduftet! **Total schön!**

Und es wurde noch schöner, als wir Cheyenne getroffen haben. Die war auch mit ihrer Mami und mit Chanell auf dem Markt. Wir haben alle zusammen einen Kakao getrunken und da haben wir ihn entdeckt:

einen verkleideten **Weihnachtsmann!**

Hohoho

nicht echt

Der hat immer gemacht und Schokolade verteilt.

„Ha!", hat Cheyenne gewispert und schnell zu Chanell rübergeguckt.

Jetzt beweisen wir ihr aber, dass der nicht echt ist!

hihihi

Ich wusste nicht, wie wir das machen sollten, aber Cheyenne hatte schon eine Idee, die sie mir ins Ohr geflüstert hat. Da musste ich voll kichern und hätte mich fast mit Kakao bekleckert.

Chanell hatte den **Weihnachtsmann** natürlich auch längst entdeckt.

Guck mal, Mami!

hat sie gefiept und ihre Mami am Ärmel gezogen. Und da hat die sich mit Glühwein bekleckert.

Cheyenne und ich haben tief Luft geholt und gebrüllt:

WEIHNACHTSMANN, DEIN MANTEL BRENNT!

So laut wir konnten.

Wir wollten natürlich, dass er schnell den Mantel auszieht und Chanell sehen kann, dass er in Wirklichkeit ganz dünn ist und bloß ein Kissen darunter trägt.

Der Weihnachtsmann hat auch sofort seinen Sack fallen lassen und sich den Mantel runtergerissen.

rups

flupp

Leider war der dicke Bauch aber echt und er hat angefangen zu **schimpfen.**

Also, der Weihnachtsmann, nicht der Bauch.

Chanell hat auch wieder **geschimpft** und mein Papa sowieso.

Da haben Cheyenne und ich uns erst mal hinter einem Stand mit Duftkerzen verkrümelt.

Wie viele echte **Weihnachtsmänner** findest du hier?

So viele

11. DEZEMBER

Die Klebe an Omas **Lichterkette** ist endlich
getrocknet. Nach dem Frühstück wollten Jakob,
Simon und ich sie noch mal ausprobieren. Wir hatten
ein bisschen Angst, dass wieder überall das Licht
ausgeht. Aber es hat geklappt und war total schön!

Deswegen haben wir das Licht ein bisschen angelassen,
während wir eine **Weihnachtskarte** für Oma gebastelt haben.

Ich hab aus grünem
Papier einen
Tannenbaum
ausgeschnitten
und die Jungs
haben ein paar
Fußballaufkleber
als Kugeln
darangeklebt.

Irgendwann hat es allerdings so **kokelig** gerochen
und da haben wir gesehen, dass ein paar Papiersterne
ganz schwarz geworden waren und auch schon ein
bisschen geraucht haben. Hups.

Wir haben schnell den Stecker gezogen
und die verkohlten Sterne abgemacht.

Und wollten sofort neue basteln. Allerdings diesmal
nicht aus Papier, damit die Lichterkette nicht so
schnell abbrennt, wenn Oma sie benutzt.
Stattdessen haben wir lieber eine alte
geringelte Strumpfhose von mir zerschnitten,
bei der die Füße zu klein geworden sind.

Danach gab es zum Glück noch
was zum Bekleben, nämlich
ein ⌈Lebkuchenhaus⌉.
Mama hatte so eine Packung
im Supermarkt gekauft —
und zwar zum halben Preis.

Weil ja heute schon der **dritte Advent** ist!

Als wir in die Küche gekommen sind, hatte Mama die Lebkuchenplatten schon mit Zuckerguss zusammengeklebt.

Deshalb konnten die Jungs und ich gleich damit anfangen, Süßigkeiten aufs Dach und an die Wände zu kleben. **Mmmh!**

Aber die Spekulatius sind zu groß fürs Haus, die müssen wir so essen

rompf

hat Jakob erklärt und sich gleich **zwei** auf einmal in den Mund gestopft.

Nachdem wir fertig ➡ waren, haben wir mit dem Knusperhäuschen und drei kleinen Lego-Figuren „Hänsel und Hänsel" gespielt.

Und zwar weil keiner von den Jungs Gretel sein wollte.

Ausgezeichnet!

Ich war natürlich die **böse Hexe.**
Aber das macht ja sowieso am meisten Spaß!

Natürlich war die Lego-Hexe **voll gemein** zu den Hänsels.
Erst hat sie sie angelockt  und dann in einen
Käfig gesperrt. Der war von unserem Spielzeugzirkus und normalerweise
sind da Löwen und Tiger drin.

Hexe →

Als die Hänsels eingesperrt
waren, hat die Hexe ihnen
ROSENKOHL zu essen gegeben,

grüner Lego-Zombie-Kopf

während sie selbst an ihrem Haus geknuspert hat.

Friss deinen Rosenkohl selbst, blöde Hexe!

hat Simon-Hänsel gerufen und sich
ein Stück Lebkuchenhaus
mit einer Fruchtgummi-
Colaflasche dran abgebrochen.

KRACKS!

Du spinnst wohl! Lass gefälligst mein
Haus heile! Aus Rache wird die Hexe
deinen Hänsel als Allererstes aufessen!

hab ich geschrien.

"Gut zu wissen" hat Jakob-Hänsel gesagt und sich auch ein Stück Lebkuchenhaus abgebrochen. Und zwar mit einer Lakritzschnecke dran.

Also, da ist die Hexe voll stinkig geworden!

Sie hat sich den Käfig mit den beiden Hänseln geschnappt, ist in die Küche gelaufen und hat ihn in einen Kochtopf geworfen.

pang!

So, Hänsels, das habt ihr jetzt davon!

Unser dritter Advent war trotzdem total gemütlich, weil es die ganze Zeit nach Lebkuchen geduftet hat und außerdem im Hintergrund ein Feuer brannte.

Also, kein echtes natürlich!

ZZZZZZZ

knister

Aber Mama hatte eine DVD gekauft und mit der konnte man die ganze Zeit ein Kaminfeuer im Fernseher sehen. Das hat sogar geknistert.

Mann, war das weihnachtlich!

knister

Oma Ingrids geheimes Rezept für **Gewürz-Spekulatius**

ZUTATEN:

100 g gemahlene Haselnüsse
170 g Butter weich
220 g Zucker

70 g Sahne
2 Eigelb
10 g Spekulatiusgewürz
1 Prise Salz

1 Msp. Hirschhornsalz
370 g Mehl
100 g Mandelblättchen
Milch zum Bestreichen

1. Butter, Zucker, Sahne, Eigelb, Spekulatiusgewürz, Salz und Nüsse mit den Schneebesen des Handrührgeräts zügig zu einer glatten Masse verquirlen.

2. Hirschhornsalz in 2 EL kaltem Wasser auflösen. Zusammen mit dem Mehl zum Teig geben und dann mit den Knethaken gut verkneten.
Teig zu einem flachen Fladen formen, in Folie wickeln und für 1 Std. in den Kühlschrank stellen.

3. Teig portionsweise verarbeiten. Jeweilige Portion noch einmal mit den Händen kurz durchkneten und auf ausgestreuten Mandelblättchen ausrollen. Entweder ausstechen oder mit einem Model formen. Beim Ausstechen sollte der Teig ca. 4 mm und bei einem Model 8 mm dick sein, da man diese ja fest hineindrücken muss.

4. Ofen auf 200° vorheizen (Umluft 180°, Gas Stufe 4). Plätzchen auf ein mit Backpapier ausgelegtes Backblech legen, mit Milch bepinseln und auf mittlerer Einschubleiste ca. 10 Min. backen. Sie sollten hellbraun sein. Sie sind im heißen Zustand weich und bröselig. **Achtung**: Die Kekse werden erst nach dem Abkühlen fest. Also nicht zu früh vom Blech nehmen.

12. DEZEMBER

In meinem *Adventskalender* waren heute

84 selbstklebende Bindis
Indischer Stirnschmuck

GLITZI

Das sind so Glitzerpunkte
und -blumen und die klebt
man sich auf die Stirn.　**Typisch Mama!**

Obwohl ich die nicht so toll fand,
hab ich mir gleich einen aufgeklebt,
der aussah wie eine rote Blume.
Und auf meine Blockflöte hab ich
auch ein paar Bindis geklebt.
Schließlich ist das
eine **indische** Flöte.

61

Cheyenne war natürlich total begeistert von den Bindis und da durfte sie sich gleich vor der ersten Stunde auch einen aussuchen. Allerdings haben die anderen aus der Klasse uns so komisch angeguckt.

Du hast noch Marmelade an der Stirn!

Quatsch, das ist ein Pickel! Oder ein Popel?

Finn hat fast gebrüllt vor Lachen. Und alle anderen auch. **Die Blöden!**

Dann hat Berenike auch noch von all ihren guten Taten berichtet, die sie am Wochenende vollbracht hat. **BÄH!**

Frau Kackert war natürlich total begeistert und hat ihr fünf neue Sterne aufgeklebt. **FÜNF!**

Berenike:

Also, da hab ich echt schlechte Laune gekriegt.

Am liebsten wollte ich Frau Kackert auch ganz viele
Barmherzigkeiten erzählen. Aber leider sind mir keine eingefallen.

Wir brauchen eine Liste mit guten Taten

hab ich Cheyenne zugeflüstert und
für den Rest der Deutschstunde haben
wir Ideen gesammelt. Uns sind auch
echt gute Sachen eingefallen:

⭐ Frau Kackerts
Schulschlüssel verstecken.

AUFMACHEN!

bomm

Wo bin ich?

⭐ Frau Kackerts
Brille verstecken.

Aaberg Anton
Aaberg Berta
Abedi I. ...

⭐ Erzählen, dass wir
gesehen haben, wie
Berenike böse zu armen,
alten Leuten war

liest denen
nur aus dem
Telefonbuch vor

TELEFON
BUCH
A-K

⭐ und Tiere
gequält hat.

HAHA

OMETTEL

⭐ Finns Rockerjacke mit glitzernden Bindis
bekleben, sodass alle über IHN lachen.

Oje, ich glaub nicht, dass wir dafür
viele Sternchen kriegen. Obwohl das
bestimmt alles richtig gute Taten sind!

Was war bislang die schönste Sache in deinem **Adventskalender?**

Oder was würdest du dir wünschen, was mal in deinem Adventskalender ist?

....

....

....

....

....

....

....

....

....

....

....

....

....

Bei uns im Haus wohnt so eine arme, alte Frau. Die ist immer ganz alleine. Der können wir einen Kuchen backen. Dann freut sie sich!

Au ja! Das ist total barmherzig und nächstenlieb!

Klar, dass ich nachmittags sofort zu Cheyenne gelaufen bin. Wir wollten einen

♡ Erdbeerkuchen mit Sahne und Zuckerherzen ♡

backen, den Cheyenne mal in einer Fernsehzeitschrift gesehen hat.

voll lecker →

Aber Cheyenne hatte leider **keine** Erdbeeren da.

Und auch **keine** Sahne

und **keine** Zuckerherzen.

Egal, dann sollte die alte Frau eben
einen Marmorkuchen kriegen.

Erst haben wir Butter, Mehl und Zucker in eine
Schüssel getan.

Oder vielleicht auch Salz, das konnte
man nicht so genau erkennen.

Dann sollten noch Eier rein,
aber die haben wir leider nicht gefunden.
Deshalb haben wir Eierlikör genommen.

Kakao gab's auch keinen mehr,
aber zum Glück einen Becher Bananenmilch.

Und was Backpulver sein sollte,
wussten wir beide nicht.

Also haben wir nur
alles umgerührt,

mansch
mansch
mansch

in einen Kochtopf
gefüllt

flotsch

und in den Ofen geschoben.

Lottas Rezept für Marmorkuchen

ZUTATEN:

für 12 Stücke / Kastenform (1 l Inhalt, 30 cm)

200 g weiche Butter
200 g Zucker
1 Prise Salz
4 Eier
300 g Mehl
2 TL Backpulver
150 ml Milch
25 g Kakaopulver + 1 EL Zucker
200 g dunkle Kuchenglasur

ZUBEREITUNG:

1. Butter, 200 g Zucker und 1 Prise Salz mit den Quirlen des Handrührers mindestens 5 Minuten schaumig schlagen. Eier nacheinander zugeben und jeweils eine halbe Minute unterrühren. Mehl und Backpulver mischen, dann abwechselnd mit 100 ml Milch zügig unterrühren.

2. Ein Drittel des Teigs abnehmen. Kakaopulver und 1 EL Zucker mischen und zusammen mit 50 ml Milch unter den restlichen Teig rühren.

3. Die Hälfte des dunklen Teigs in die gefettete Kastenform füllen **(A)**. Den hellen Teig darübergeben **(B)** und zuletzt den restlichen dunklen Teig einfüllen **(C)**. Eine Gabel spiralförmig durch den Teig ziehen, sodass ein Marmormuster entsteht **(D)**.

 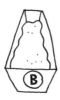  

4. Im heißen Ofen bei 175 Grad (Umluft 160 Grad) auf dem Rost im unteren Ofendrittel 50–60 Min. backen. Aus dem Ofen nehmen und 10 Minuten in der Form lassen, dann auf ein Gitter stürzen und auskühlen lassen.

Kuchenglasur nach Packungsanweisung schmelzen und den Kuchen damit bestreichen.

Der Kuchen hat ein bisschen KOMISCH ausgesehen, als er fertig war. So flüssig irgendwie.

schlopps

Wir haben ihn trotzdem zu Frau Jahn gebracht, Cheyennes Nachbarin.

Ach Gottchen!

Die hat sich auch total gefreut!

Allerdings wollte sie, dass wir den Kuchen mit ihr zusammen essen. Deshalb haben wir uns zu ihr aufs Sofa gesetzt, Kuchen gelöffelt und ihr zugehört.

Der Kuchen hat echt komisch geschmeckt, so süß und klumpig irgendwie. Aber ich glaub, das hat Frau Jahn überhaupt nicht gemerkt, weil sie so viele Geschichten von früher erzählt hat. Und wir durften erst gehen, als der ganze Kuchen aufgegessen war.

Danach war uns total schlecht, Cheyenne und mir. Aber dafür haben wir uns voll barmherzig gefühlt!

Mein absolutes Lieblings-
Weihnachtsrezept

14. DEZEMBER

Natürlich hat Cheyenne heute in der Schule als Allererstes von unserem Kuchen und von Frau Jahn erzählt.

Und da hat Frau Kackert uns beiden ein **Sternchen**
gegeben! **Endlich!**

Berenike: ⭐⭐⭐⭐⭐⭐⭐⭐⭐⭐

Lotta: ⭐⭐

Cheyenne: ⭐⭐

Danach hat Frau Kackert die ersten
Wichtelgeschenke eingesammelt und in einen Sack
gesteckt. Berenike, Emma und ein paar andere Streber
hatten nämlich schon ihre Päckchen dabei. ⊖

Boah, da ist mir voll
kribbelig geworden!

Leider war das gar nicht so leicht.

Weil ich ja Berenike gezogen hatte. Und Cheyenne
Finn. Was kauft man denn bloß für einen **Rocker**
und ein **LÄMMER-GIRL** für höchstens drei Euro?

Zuerst wussten wir auch gar nicht, in welches
Geschäft wir gehen sollten. Aber dann sind wir an

HASSO HEIMTIERBEDARF vorbeigekommen.

Komm, da gehen wir rein. Der
Laden sieht voll interessant aus!

Er war auch interessant.
Zum Beispiel gab es Meerschweinchen und Wellen-
sittiche. Aber die waren natürlich zu teuer.

Und einpacken kann
man die ja auch nicht.

uiiip uiiiiiip

Zum Glück haben wir aber auch ein paar billigere
Sachen gefunden:

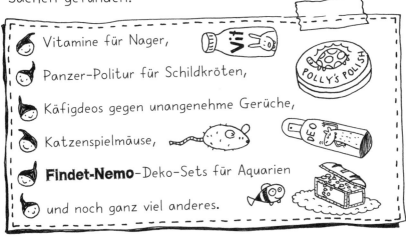

- Vitamine für Nager,
- Panzer-Politur für Schildkröten,
- Käfigdeos gegen unangenehme Gerüche,
- Katzenspielmäuse,
- **Findet-Nemo**-Deko-Sets für Aquarien
- und noch ganz viel anderes.

Trotzdem war es echt schwer,
was Wichteliges zu finden!

Schließlich hab ich einen Schlüsselanhänger gekauft, an dem voll das süße Stinktier baumelte.

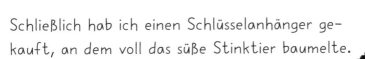

Und Cheyenne hat ein Flohhalsband für
Hunde über acht Kilo ausgesucht. In Schwarz.

So was finden **Rocker** cool. Hundertpro.

Wir waren echt zufrieden, als wir
wieder aus dem Laden gegangen sind!

TOLLE Wichtelgeschenke für LÄMMER-GIRLS

* Bodylotion mit Juckpulver

15. DEZEMBER

Jippie! Es hat geschneit!

Als ich heute Morgen meine Gardinen aufgezogen hab, war alles weiß und unter der Straßenlaterne hat es ganz glitzerig geleuchtet!

Auf dem Weg zur Schule hab ich dann gemerkt, dass die Schneeschicht noch ziemlich dünn war, aber das war mir egal.

Rémi wohl auch. Denn er hat auf dem Schulhof ein großes Herz in den Schnee getrampelt, in dem **L+R** stand. Lotta + Rémi.

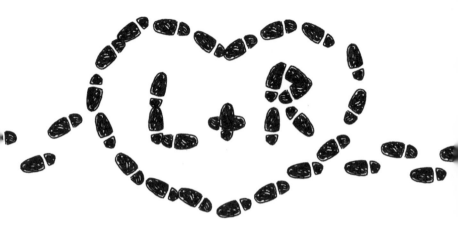

 **Oh mann.** Mit so was muss er langsam echt mal aufhören, der Rémi! Mit diesen ganzen Herzchensachen, mein ich. Mittlerweile sollte er doch wohl mitgekriegt haben, **dass ich das nicht mag!**

In der ersten großen Pause waren zum Glück schon so viele Schüler über das Herz gelaufen, dass man es nicht mehr erkennen konnte.

Dafür haben die **Rocker** Paul mit Schneebällen beworfen. Obwohl man das ja gar nicht darf, vor allem nicht bei Leuten wie Paul, die eine Brille tragen.

Frau Kackert ist deshalb auch voll **böse** geworden. Sie wollte allen vier Rockern ein Sternchen abziehen.

Allerdings hatten Finn, Maurice, Timo und Benni sowieso noch keine Sterne für gute Taten. Und da hat Frau Kackert nur ein bisschen **geknurrt**.

Nachmittags wollten Cheyenne und ich dann eine Schneehöhle in unserem Garten bauen, aber es war kaum noch Schnee übrig.

Und zwar weil meine **BlödbrüDer** schon ein **SCHNEEMONSTER** vor unserem Haus gebaut hatten.

Das Einzige, was wir noch hingekriegt haben, war ein kleines, **dreckiges Schneegespenst**.

Aber dafür sah das viel **niedlicher** aus als das Monster der Jungs! **So!**

Und dann sind Cheyenne und ich reingegangen und haben Kakao getrunken und Lebkuchen gegessen.

Durchpaus-Schablone für

Schneeflocken

als Fensterbild

Pause die Schneeflocke auf ein Papier durch und schneide sie aus. Wenn du mehrere Schneeflocken ausgeschnitten hast, kannst du damit das Fenster in deinem Zimmer unverfroren von innen bekleben (am besten mit Klebeband).

16. DEZEMBER

Mitten beim Frühstück ist mir heute
eingefallen, dass ich zwar schon voll
das schöne **Weihnachtsgeschenk**
für Oma Ingrid hab, aber noch
gar keins für Mama und Papa.

Leider hab ich auch nicht so richtig gute Ideen:

MAMA: was Schönes.
Oder was **Indisches**.

PAPA: vielleicht was für die Schule.
Stifte oder so.

JAKOB UND SIMON: irgendwas mit Raumschiffen.
Oder gar nichts.
Schließlich schenken
die mir ja auch nichts!

OMA UND OPA: was Selbstgebasteltes.
Darüber freuen sich Großeltern am meisten.

im Herbst selbst gesammelt und selbst geknüpft →

selbst getöpfert

CHEYENNE: vielleicht, dass ich dreimal ihren
kleinen Bruder Rocco für sie babysitte.
Oder zweimal. Oder gar nicht.
Der ist immer so anstrengend.

WÄÄÄÄ

Zum Glück haben wir seit dem Sommer „Textiles Werken" in der Schule. Und da basteln wir ganz viele stoffige Sachen — alles Mögliche, was man gut zu Weihnachten verschenken kann. Finde ich jedenfalls. Im Moment zum Beispiel filzen wir. Aus Wolle und Wasser und Seife sollen wir so Filztiere machen.

Bloß werden meine immer ganz platt und kriegen nie eine richtige Tierform.

Elch → Schaf → ← Katze

Ist doch egal. Dann werden das eben so Dinger, wo man Biergläser draufstellen kann

hat Cheyenne gesagt und an ihrem Filzhasen rumgeknetet, der ausgesehen hat wie ein Hundehaufen.

Das war ja mal **voll die gute Idee** von Cheyenne!

Weil man Vätern ja total gut Untersetzer für Biergläser zu Weihnachten schenken kann!

Und Mama kriegt dann das Püppchen, das wir vor zwei Wochen genäht haben

Genau!

Aber dann ist sie irgendwie voll nachdenklich geworden.

Bloß ... mein Püppchen sieht total **GRUSELIG** aus. Mehr so wie eine **VOODOO-PUPPE.**

Da musste ich voll kichern.   Meins auch.   hihi

Aber vielleicht können Mütter ja auch gut **VOODOO-PUPPEN** gebrauchen ... mit so Nadeln drin?

Aber dann ist mir noch was Besseres eingefallen.

Wir behalten die **VOODOO-PÜPPCHEN.** Für Berenike. Damit sie nicht mehr so viele Sternchen kriegt!

hab ich Cheyenne ganz leise zugewispert.

Berenike hatte nämlich schon mindestens fünfzehn Sternchen oder so.

Tesafilm

Nadeln

Natürlich musste Cheyenne da auch kichern.   hihihi

Boah, voll die gute Idee!

hat sie gequietscht und Frau Mau, unsere Textiles-Werken-Lehrerin, hat sie böse angeguckt.

Cheyenne und ich konnten trotzdem nicht aufhören zu kichern. Bis mir dann eingefallen ist, dass ich immer noch kein Geschenk für Mama hatte.

Meine
Wem-ich-was-zu-
Weihnachten-schenken-
könnte-Liste

Name ↘   ↙ **Geschenk**

17. DEZEMBER

OH MANN. Heute ist was **SCHLIMMES** passiert.
Und dabei hat der Tag doch so toll angefangen.
Über Nacht war nämlich schon wieder Schnee
gefallen. Deshalb haben wir nach dem Frühstück
einen richtigen Winterspaziergang gemacht!
Mit der ganzen Familie.

Wir haben unsere zwei Schlitten ins Auto
gepackt und sind zu einem Wald in
der Nähe gefahren.
Dort sind wir
losgelaufen.

Erst hat Papa mich gezogen und die Jungs sich ge-
genseitig und Mama hat uns alle dabei fotografiert.

Doch dann hat Jakob so einen kleinen zugefrorenen Teich entdeckt.

Weil es bloß ein winziger Teich war und das Wasser bestimmt nicht tief, durften wir raufgehen und ein bisschen **schlittern**. Und als Jakob gerade besonders glitschig geschlittert ist, ist er ausgerutscht und auf den Hinterkopf gefallen.

Und dann hat er auf dem Eis gesessen und wusste nicht mehr, wo er war. Und **SCHLECHT** war ihm auch. Sogar so, dass er spucken musste.

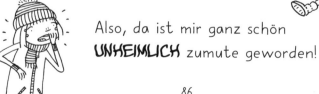

Also, da ist mir ganz schön **UNHEIMLICH** zumute geworden!

Papa hat ihn zum Auto gebracht und dann sind wir
so schnell wie möglich ins Krankenhaus gefahren. Weil
Jakob nämlich eine **GEHIRNERSCHÜTTERUNG** hatte!

Er musste sogar die Nacht
im Krankenhaus verbringen.
Mama ist bei ihm geblieben

und da ging es Simon plötzlich auch ganz **SCHLECHT.**
Und zwar weil er noch nie eine ganze Nacht lang
ohne Jakob gewesen ist. Deshalb hab ich mich abends
in Jakobs Bett schlafen gelegt, damit Simon nicht so
allein ist.

Das war bestimmt eine gute Tat, für die es bei Frau
Kackert ein Sternchen gibt. ☆

Obwohl, eigentlich waren mir die Sternchen gerade ziemlich egal ...

Hoffentlich ist Jakob schnell wieder gesund! Denn
Weihnachten ohne alle **Blödbrüder** wär echt doof!

Diese Leute dürfen

Weihnachten

nicht fehlen

18. DEZEMBER

Dafür ist heute was wahnsinnig **AUFREGENDES** passiert!

Nachdem es zum Frühstück Stollen

mit Rosinen, bäh!

und vier Kerzen auf dem Adventskranz gab,

bin ich zu Cheyenne gelaufen.

Zu Hause war es nämlich ein bisschen langweilig ohne Mama und Jakob. Denn obwohl es Jakob schon besser ging, musste er immer noch im Krankenhaus bleiben.

hüpf

Cheyenne war gerade dabei, eine **Weihnachtsmannfalle** vor ihrem Haus zu buddeln.

Also hab ich überlegt, wie ich ihr am besten helfen kann ...

und genau in dem Moment ist

ein verkleideter **Weihnachtsmann** vorbeigekommen!

GANZ IN ECHT! →

Mist! Der kommt zu früh! Unsere Falle ist ja noch gar nicht fertig! ◎ ✺

piff

hat Cheyenne geschimpft und ihre Schaufel auf den Boden geworfen.

Aber dann hat sie nichts mehr gesagt. Und ich auch nicht.

quiiiiietsch

Weil wir nämlich gesehen haben, wie ein Auto direkt neben dem **Weihnachtsmann** angehalten hat.

Zwei Männer sind
rausgesprungen und ...

und ... die haben den
Weihnachtsmann
in ihr Auto geschubst!

WIRKLICH! DIE HABEN IHN ENTFÜHRT!

Wahrscheinlich, weil der einen total vollen
Geschenkesack auf dem Rücken hatte.

Der **Weihnachtsmann** hat noch geschrien und sich
gewehrt, aber er hatte keine Chance.

Und dann ist das
Auto einfach   *losgerast!*

Lasst mich raus!

Ich hab voll nach Luft geschnappt und Cheyenne hat
Entführung! gebrüllt. Und da hab ich
mir schnell die Nummer auf dem
Nummernschild gemerkt.

**Ruf die Polizei an! Los! Du
musst eins-eins-null wählen!**

hab ich geschrien, weil Cheyenne
ja immer ein Handy dabeihat.

91

Danach ging es plötzlich ganz schnell und hat sich ganz komisch angefühlt. So als ob das alles gerade nicht in echt passiert. Und als ob ich den ganzen Kopf voller Watte hätte. Die Polizei war nämlich sofort da und wollte, dass wir mitkommen. Also, normalerweise darf ich ja nicht bei Fremden ins Auto steigen, aber schließlich war das hier die Polizei! Deshalb sind Cheyenne und ich reingesprungen. Wir sind ziemlich schnell gefahren und die Polizisten haben die ganze Zeit geredet und **Knisterstimmen** aus dem Funksprechgerät haben geantwortet. Außerdem haben sie uns Fragen gestellt. Nach dem Auto und so.

Meistens hat aber Cheyenne geantwortet.

Wegen meiner Watte im Kopf.

Und dann ...

dann haben wir tatsächlich das Auto der Entführer gefunden! Es stand vor einem Haus. Fast gleichzeitig mit uns sind auch zwei andere Polizeiautos angekommen und dann ...

dann sind nicht nur die Entführer, sondern auch der Weihnachts-mann verhaftet worden!

Und zwar weil der ein Bankräuber war und den ganzen Sack voller Geld hatte!!!

Cheyenne und ich sind mit zur Polizeiwache gefahren und mussten alles noch mal erzählen. Danach sind wir ganz doll gelobt worden!

Boah, hat es dabei gekribbelt in meinem Bauch!

Ganz, ganz langsam ist auch die Watte aus meinem Kopf verschwunden. Und ich hab gemerkt, dass wir voll die **Heldinnen** waren, Cheyenne und ich! **Richtige Detektive, wie im Fernsehen!**

Außerdem haben wir jetzt endlich den Beweis, dass der Weihnachtsmann nicht echt ist, sondern in Wirklichkeit nur so ein fieser Bankräuber

hab ich zu
Cheyenne gesagt.
Allerdings hat sie da voll erschrocken geguckt. Pssst!

Aber nichts Chanell verraten. Sonst ist die bestimmt traurig!

hat sie geflüstert.

Oh, da hatte sie wohl recht ... daran hatte ich noch gar nicht gedacht. Aber natürlich hab ich Cheyenne sofort versprochen, dass ich Chanell nichts sag.

Großes Blockflötenehrenwort!

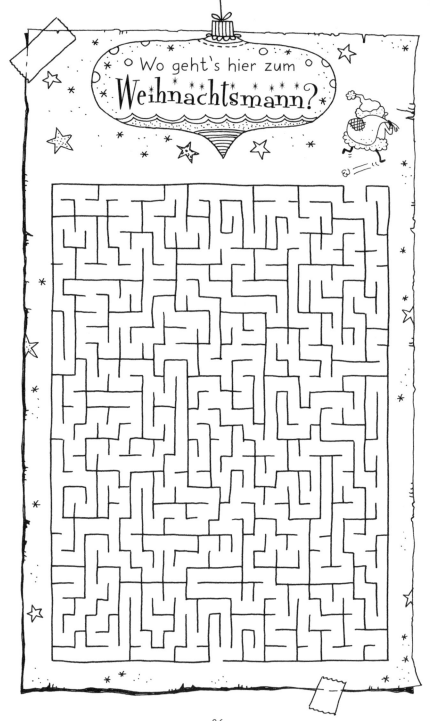

19. DEZEMBER

Als ich heute Morgen in die Küche kam, lag die Zeitung aufgeschlagen neben meiner Müslischüssel. Ich hab sofort das Foto gesehen, auf dem Cheyenne und ich drauf waren, **ganz groß!**

JUCHHU!

Die ganze Stadt weiß schon Bescheid über eure Heldentat, Lotta

hat Papa gesagt und dabei meine Schulter gedrückt und voll stolz geguckt. Und ich konnte kaum den Artikel lesen, weil mein ganzer Kopf geglüht hat wie damals, als Rémi mir dieses Herzkissen geschenkt hat. Das mit dem Rosengeruch.

In der Schule wussten auch schon alle Bescheid. Sogar Frau Kackert war total begeistert von Cheyenne und mir. Deshalb durften wir ganz lange davon erzählen, wie wir den Weihnachtsmann gerettet haben ... und gleichzeitig einen Bankräuber gefangen! Alle aus der Klasse haben ganz viele Fragen gestellt ...

... und ich dann so „Hallo, ist da die Polizei?" und die dann „Ja" und ich dann so ...

Stimmt. Und ich dann so „Hä?" ...

und niemand hat mehr über Berenike und ihre guten Taten geredet!

Nachmittags war ich bei Cheyenne. Sie hat ja ein Zimmer zusammen mit ihrer Schwester und meistens ist das ganz schön blöd. Weil Chanell ständig so viel Unsinn redet und nervige Lieder singt.

pieps

Aber heute war sie ganz still und hat uns immer nur angeguckt. So ehrfürchtig irgendwie. Nur ab und zu hat sie gepiepst, dass sie was aus der Küche holt, wenn wir wollen. Lebkuchen oder Cola und so.

Und dann wollte sie mir auch noch ihre
Lieblings-Glitzer-Haarspangen schenken.

Als sie dann wirklich draußen war, um Süßigkeiten zu
holen, hat Cheyenne mir schnell zugeflüstert, dass
Chanell ihr auch schon ihren Adventskalender
geschenkt hat. Und ihren
schönsten Weihnachtsengel. →
Den elektrischen mit Licht.

Sie darf niemals im Leben rauskriegen, dass das nicht
der echte Weihnachtsmann war, den wir gerettet
haben, sondern nur so ein oller Bankräuber!

Niemals!

zip

hab ich versprochen und so getan, als ob ich mir den
Mund mit einem Schlüssel abschließe. Soll Chanell nur
weiter an den Weihnachtsmann glauben.

Und daran, dass wir die größten
Weihnachtsheldinnen der Welt sind!

Die größten und besten Heldentaten

Das hat jemand anders (oder vielleicht sogar ich)
schon mal getan, was ich total toll und mutig fand:

20. DEZEMBER Juchhu!

Mann, hab ich mich auf HEUTE gefreut.

Den allerletzten Schultag in diesem Jahr.

Und er ist echt toll geworden.

In der Deutschstunde sollten Cheyenne, Berenike und ich nach vorne kommen und dann hat Frau Kackert uns geehrt!

Berenike natürlich, weil sie die meisten **Sternchen** von allen hatte,

und Cheyenne und mich, weil wir die **TOLLSTE** gute Tat vollbracht haben.

Das hat Frau Kackert wirklich gesagt.

Und dann hat sie uns jedem ein **Geschenk** gegeben.

Es war ein Buch mit

Weihnachtsgeschichten

und da war mir mit einem Mal **total weihnachtlich** zumute!

Die schönsten Weihnachtsgeschichten

Bloß Cheyenne war ein bisschen enttäuscht.
Sie liest nämlich nicht so gerne.

Danach haben wir Kerzen angezündet
und Kekse gegessen ...

knusper

und schließlich war das *Wichteln* dran!

Ich war voll **kribbelig** im Bauch, als ich
mein kleines Geschenk ausgepackt hab.

Leider war es nur so
eine gelbe Plastikdose.

OHROPAX
12 Ohrstöpsel aus
Wachs gegen Lärm

Außerdem lag ein Zettel dabei, auf dem stand:

Für deine Familie, wenn du Flöte übst.

hmpf

Also, das fand ich ja jetzt ziemlich **bescheuert.**

Schließlich sollte das Geschenk für mich sein und nicht für meine Familie! Wer aus meiner Klasse hatte sich das bloß ausgedacht?

voll lecker

grüner Mantel

Aber egal. Immerhin war ein **Weihnachtsmann** aus Pfefferminzschokolade mit dabei.

Und dann hatte ich ja auch noch das schöne Buch von Frau Kackert!

Berenike fand das kleine Stinktier übrigens ganz gut, glaub ich. Auf jeden Fall hat sie so gekichert, als sie es ausgepackt hat. Und ihre **LÄMMER-GIRLS** auch. Wobei, die kichern ja sowieso ständig.

hihihi

hihihi

ahöhöhö

hihihi

Nachmittags ist **noch was Gutes** passiert:

Jakob und Mama

sind aus dem Krankenhaus zurückgekommen.

Allerdings musste Jakob sich gleich wieder ins Bett legen, weil er noch viel Ruhe braucht.

Natürlich hat Simon ihm erzählt, dass ich in seinem Bett geschlafen hab, als er im Krankenhaus war. Jakob hat sofort angefangen **rumzuschreien.**

Igitt! Jetzt sind da voll die ekligen Lotta-Bazillen drin! Schnell! Du musst meine Bettwäsche waschen, MAMA!

Und da musste ich grinsen. Weil ich gemerkt hab, dass es Jakob schon wieder besser geht. Und Simon auch.

Lottas und Cheyennes
Weihnachtskarten

Ich wünsche dir zum
heiligen Feste
vom Schönen das Schönste,
vom Guten das Beste!
Deine LOTTA

Hell erstrahlen alle **Kerzen,**
mein Wichtelgeschenk,
das kam von Herzen!

Es stinkt das Tier, es trinkt das Pferd
und Lotta, die singt stets verkehrt.
FROHE WEIHNACHTEN!
Deine Cheyenne

21. DEZEMBER

Weil Papa ja Lehrer ist, hat er auch seit gestern frei. Deshalb ist er mit Simon und mir einen

Weihnachtsbaum kaufen gefahren.

Jakob durfte leider nicht mit, weil er sich noch schonen muss. Wir waren im Baum-Markt und haben eine total schöne Tanne ausgesucht.

Eine Blaumann-Tanne oder wie die heißt.

Später kam Cheyenne vorbei. Zuerst wussten wir nicht, was wir machen sollten. Und zwar weil wir ja jetzt keine Sternchen mehr sammeln. Und Weih-nachtsmann-Fallen müssen wir auch keine mehr bauen. Fast hätten wir angefangen, uns zu langwei-len, aber genau da hat Paul angerufen. Er hat gesagt, dass er gerade Plätzchen backt und ob wir vielleicht mitmachen wollen? Klar wollten wir!

Paul war mit seiner Mutter in der Küche, als wir ankamen. Und er hatte eine Schürze an! Eine karierte, auf der CHEFKOCH stand!

Also, da mussten wir schon ein bisschen kichern, Cheyenne und ich.

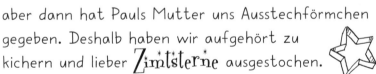

Du siehst aus wie meine Omi hat Cheyenne gegluckst, hihi

aber dann hat Pauls Mutter uns Ausstechförmchen gegeben. Deshalb haben wir aufgehört zu kichern und lieber Zimtsterne ausgestochen.

In der ganzen Küche hat es schon total weihnachtlich geduftet, so nach **Vanillekipferl**,  und im Radio liefen **Weihnachtslieder.**

dschinglpelz dschinglpelz dschinglolsewäi owot fan it is lu reid ina wonhoasopensläi

Irgendwann hat Cheyenne die Hände in die Seiten gestemmt.

> Boah ey, das ist voll gemütlich hier!

hat sie gerufen und da hatte sie so was von recht!

Als die Zimtsterne im Ofen waren, hat Pauls Mutter uns Kakao gekocht. Und dann haben wir Vanillekipferl und Lebkuchen gegessen und alle vier Kerzen vom **Adventskranz** angezündet!

Hach, ich kann es noch gar nicht glauben, dass in drei Tagen schon **Heiligabend** ist!

Meine Lieblings-
Weihnachtsgedichte

22. DEZEMBER

LAAAANGWEILIG!

Jakob musste sich heute immer noch
ausruhen und durfte nicht rumtoben.
Deshalb hat er echt **schlechte Laune** gekriegt.

Zum Glück hatten Simon und ich eine gute Idee:
Wir haben ihm nämlich ein Theaterstück vorgeführt.
Das handelte davon, wie der Weihnachtsmann
erst entführt und anschließend
gerettet wurde.

bonk

und ich war natürlich die Retterin!

Simon hat den Weih-
nachtsmann gespielt

113

Als wir fertig waren, hat nicht nur
Jakob geklatscht, sondern auch Simon. Weil beide das
mit dem Bankräuber nämlich **total cool** finden.
Auch wenn sie das niemals zugeben würden!

Dann wurde es allerdings wieder ein bisschen **langweilig**. Vor allem für Jakob. Und deshalb durften wir
einen Weihnachtsfilm im Fernsehen gucken. Jakob ist
ganz aufgeregt geworden, und zwar weil er die letzten Tage überhaupt nicht fernsehen durfte. Wegen
seiner Gehirnerschütterung. Aber jetzt geht es ihm
ja zum Glück wieder besser.

Wir haben **Die Muppets-Weihnachtsgeschichte** gesehen. Das ist mein Lieblings-Weihnachtsfilm, auch wenn Jakob jedes Jahr behauptet, dass ich aussehe wie Miss Piggy. 😑

Ja, und wenn du groß bist, dann heiratest du einen Frosch! Und dann gibt es den ganzen Tag immer nur Fliegen zu essen.

Ich hab die Jungs aber trotzdem nicht gehauen. Und zwar weil der Film so schrecklich **weihnachtlich** war, dass ich die ganze Zeit daran denken musste, dass übermorgen **Heiligabend** ist!

Und außerdem kommt morgen Oma Ingrid! Darauf freue ich mich auch schon ganz doll!

Was machst du
alles, wenn du auf
Weihnachten
wartest?

23. DEZEMBER

Jetzt kann es aber langsam echt losgehen mit

Weihnachten!

Kurz vor dem Mittagessen haben wir Oma Ingrid vom Zug abgeholt. Jakob durfte auch mitkommen und darüber war er so froh, dass er vor dem Bahnhof auf einer zugefrorenen Pfütze **geschlittert** ist.

Oma hat den Jungs und mir
Weihnachts-Anstecknadeln →
mitgebracht. Die blinken bunt
und machen Musik. **Voll cool!**

Beim Mittagessen haben wir sie die ganze Zeit angelassen. Meine Anstecknadel war ein Elch mit blinkender
Nase, der hat

Rudolph the Red Nosed Reindeer gespielt.

← hmmm, Makkaroni mit Tomatensoße

Papa hat das, glaub ich, ein bisschen **nervös** gemacht.

Er hat ganz schnell aufgegessen und ist
dann auf die Terrasse gegangen, um den
Weihnachtsbaum auf den Fuß zu stellen.

Weil Oma über **Weihnachten** mein Zimmer
kriegt, muss ich schon wieder bei Jakob und
Simon schlafen, auf einer Luftmatratze.

Die Jungs finden das nicht so gut.
Und ich auch nicht.

> Wehe, du schnarchst! Dann lass ich heim-
> lich die Luft aus deiner Matratze raus!

hat Simon mich gewarnt.

Ansonsten ist es aber total schön, dass Oma bei uns
ist! Den ganzen Nachmittag hat sie mit uns gebastelt.
Und zwar so rot-weiß karierte

Papierherzchen.

Dafür mussten wir erst halbe Herzen ausschneiden,
immer eins in Rot und eins in Weiß. Dann haben wir so
Franseln reingeschnitten und sie zusammengeflochten.
Das war ziemlich fummelig, aber mein erstes Herzchen
hat echt hübsch ausgesehen, als es fertig war!
Oma hat gesagt, damit hängen
zu **Weihnachten** alle Tannenbäume
in Dänemark voll.

Also ich glaub, unser **Weihnachtsbaum** wird
morgen auch ganz schön dänisch aussehen.
Und das wird bestimmt total schön!

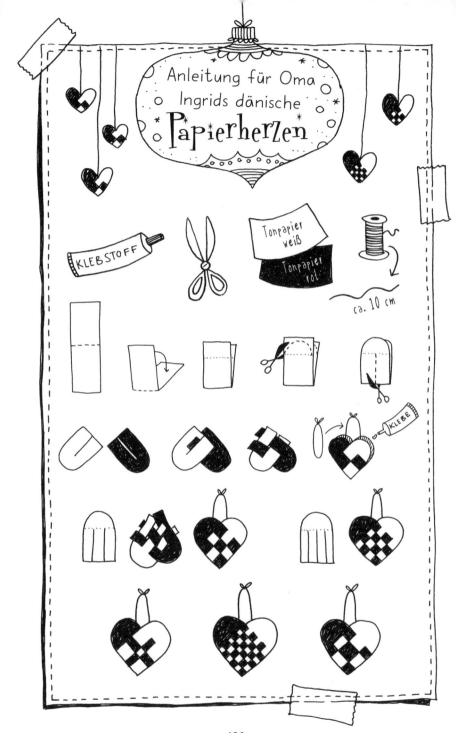

Anleitung für Oma Ingrids dänische Papierherzen

KLEBSTOFF

Tonpapier weiß

Tonpapier rot

ca. 10 cm

KLEBE

Hurra, es ist Heiligabend!

Das einzig Doofe an Heiligabend ist, dass davor immer der **allerlängste** Tag des Jahres liegt. Der geht gar nicht rum und es dauert immer so schrecklich lange bis zur Bescherung.

Und außerdem ist die Wohnzimmertür den ganzen Tag abgeschlossen.

hmpf

doppelhmpf

Und durchs Schlüsselloch kann man auch nichts sehen.

Kommt in die Küche, Kinder! Wir spielen ein bisschen Mau-Mau! Dann vergeht die Zeit wie im Fluge!

hat Oma irgendwann gegen Mittag gerufen und in die Hände geklatscht.

Also haben wir Mau-Mau gespielt, während Mama Hühnerfrikassee gemacht hat.

Das essen wir jedes Jahr am Heiligabend, mit Blätterteigpasteten.

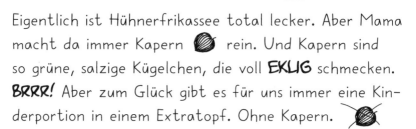

Eigentlich ist Hühnerfrikassee total lecker. Aber Mama macht da immer Kapern rein. Und Kapern sind so grüne, salzige Kügelchen, die voll EKLIG schmecken. BRRR! Aber zum Glück gibt es für uns immer eine Kinderportion in einem Extratopf. Ohne Kapern.

Ey, Oma, du schummelst!

Ja, echt! Das war voll geschummelt eben! Ma-maa! Oma schummelt!

Ach, ihr tüddelt doch.

„Aber wenn ihr keine Lust mehr zu Mau-Mau habt, dann kann Lotta mir ja mal ein paar Weihnachtslieder auf ihrer Blockflöte vorspielen!", hat Oma gesagt.

Also, da hab ich voll den **Schreck** gekriegt! Und zwar weil sich meine Flöte ja nur zum **Schlangenbeschwören** eignet.

Aber natürlich war Mama auch sofort begeistert von der Idee und hat gesagt, dass ich die Flöte doch runter in die Küche holen soll.

Bitte, Lotta, gib uns hier ein kleines Weihnachtsständchen!

stöhn

Na gut. Dann hol ich meine Blockflöte eben. Ihr werdet schon sehen, was ihr davon habt!

Als ich wieder in die Küche kam, waren die Jungs verschwunden. Aber Oma hat mich ganz erwartungsvoll angeguckt und Mama auch. Dabei hat sie im Hühnerfrikassee gerührt.

Und ich hab tief Luft geholt und vorsichtig vorne in die Flöte gepustet. Natürlich hab ich gehofft, dass am anderen Ende Stille Nacht rauskommt.
Oder vielleicht auch Jingle Bells.

Aber leider sind nur so {**fiese Quiektöne**} rausgekommen. Solche, die Schweine manchmal machen.

Und da ist Mama aus Versehen das ganze Glas Kapern ins Frikassee gefallen.

Hups hat sie gemacht und mit einem Holzlöffel danach gefischt.

Aber komischerweise hat sie es nicht wiedergefunden. Das ganze Glas war einfach verschwunden!

Und dabei habe ich doch noch gar keine Kinderportion abgefüllt

hat sie gemurmelt und entsetzt in den Topf geguckt.

Ach komm, das gibt's doch nicht, Bine! hat Oma gerufen und ist aufgesprungen, um auch im Topf nach dem Glas zu suchen.

Und ich hab den Moment genutzt, um mich leise aus der Küche zu schleichen ...

Danach hab ich mit den Jungs und unseren Stofftieren
WEIHNACHTEN AUF DEM RAUMFISCH
ENTERPRISE gespielt.

RAUMFISCH ENTERPRISE affen im weltall

Helft mir Käpt'n Barni! Der Weihnachtsmann ist verschwunden und die Geschenke müssen dringend auf der Erde ausgeliefert werden.

swisch!

Der Weltraum – unendliche Weiten. Dies sind die Abenteuer von Raumfisch Enterprise, der mit seiner

fünf Mann starken Besatzung 400 Jahre unterwegs ist, um neue Welten zu erforschen, neues Leben und neue Zivilisationen.

Lt. Simon, nehmen Sie Kurs auf die Erde. Sofort!

Erde in Sicht, Käpt'n.

Geschenke klar zum Ausliefern.

Mission erfolgreich ausgeführt, Käpt'n.

Aber ein Geschenk ist noch übrig und da steht Prinzessin Lottas Name drauf ...

HOHOHO!

Wer hat den Weihnachtsmann eingepackt und wo ist überhaupt Lord Helmchen? Die Reise des Raumfisch Enterprise geht weiter ...

Trotzdem hat es noch ewig gedauert,
bis wir uns endlich schick gemacht
haben und in die Kirche gegangen sind.

Doch dann war es endlich, endlich so weit: **Bescherung!**

bimmel

Wie jedes Jahr haben wir alle hinter der Tür gewartet, bis Papa mit dem **Glöckchen** geklingelt hat.

Und dann durften wir ins Wohnzimmer und da stand der **Baum** und alle **Kerzen** haben geleuchtet und es war so was von **weihnachtlich**, dass ich ganz **WACKELIGE KNIE** gekriegt hab!

O Tannenbaum, o Tannenbaum,

wü grün sünd deune Blöttör!

Wir haben alle vor dem Baum gestanden und **O Tannenbaum** gesungen, so wie die Leute auf der Weihnachts-CD.

Weihnachtslieder

Im Fernseher hat währenddessen ein Feuer geknistert und unter dem Baum lagen furchtbar viele Geschenke, weil wir ja dieses Jahr sechs Leute waren.

Ich hab sogar noch ein paar zusätzliche Geschenke bekommen:

nämlich ein Verkehrssicherheits–
Memory von der Polizei und

 ⬅ Kekse von Cheyennes Nachbarin Frau Jahn. Leider haben die ein bisschen nach Seife geschmeckt.

Papa hat gleich die Flasche Wein, die er von Oma gekriegt hat, auf einen meiner Untersetzer gestellt

und Oma hat die Lichterkette eingestöpselt, die total gemütlich geleuchtet hat.

Das war ja so was von weihnachtlich!

Die Jungs haben sich Popel durch ihr neues Mikroskop angeguckt

und ich hab ange-
fangen, Kristalle zu
züchten. **Echt!** Ich
hab nämlich so einen
← Kasten bekommen, mit
dem man das kann.

Sogar Muscheln und Sterne und so
kann man damit züchten. Aber ich ...

ich wollte einen Weihnachtsbaum. ⇨
Einen grünen Kristall–Weihnachtsbaum,
der noch ganz lange bei mir im Regal stehen kann.
Weil ich mich nämlich noch ganz, ganz lange an dieses
tolle Weihnachten erinnern möchte!

(Obwohl das Hühnerfrikassee später total eklig nach Kapern geschmeckt hat ...
Ich hab es trotzdem gegessen und dafür müsste ich eigentlich noch
ein paar barmherzige Extra-Sternchen kriegen!)

Frohe Weihnachten!

Mein schönstes Weihnachtsfest

Das habe ich geschenkt bekommen:

....

....

....

....

....

Mitgefeiert haben: ↗

(Platz für ein Foto oder eine Zeichnung)

Zu essen gab es:

....
....
....
....

Außerdem haben wir
das noch gemacht:

....
....
....
....
....
....
....

Unser
Weihnachtsbaum
sah so aus ⟶
(den darfst du
schmücken)

Alice Pantermüller / Daniela Kohl
Mein Lotta-Leben

Alles voller Kaninchen
978-3-401-06739-1

Wie belämmert ist das denn?
978-3-401-06771-1

Hier steckt der Wurm drin!
978-3-401-06814-5

Daher weht der Hase!
978-3-401-06833-6

Ich glaub, meine Kröte pfeift!
978-3-401-06961-6

**Den Letzten knutschen
die Elche!**
978-3-401-06965-4

Alle Bände auch als E-Books erhältlich
und als Hörbücher bei JUMBO

Arena

Jeder Band:
Gebunden
Mit Illustrationen von Daniela Kohl
www.mein-lotta-leben.de
www.arena-verlag.de

Alice Pantermüller / Daniela Kohl

Linni von Links
Band 1 & 2

Linni von Links reicht es: Seit Uroma Emilie sind alle Frauen der Familie von Links berühmt geworden. Als sogar ihre kleine Schwester zum Star wird, steht für Linni fest: Sie muss etwas tun. Leider ist sie weder als Dichterin noch als Schauspielerin begabt. Doch aufgeben kommt für Linni niemals infrage. Mit ihrer besten Freundin Isadora versucht sie alles, sich ihren Traum vom Berühmtsein zu erfüllen. Dass in letzter Zeit ständig eine griesgrämige alte Dame auftaucht, die aussieht wie ein Geist und Linni und Isadora von einem Missgeschick ins nächste führt, hilft dabei auch nicht.

Arena

280 Seiten • Gebunden
ISBN 978-3-401-60514-2
www.arena-verlag.de